MW00873180

DAVID FLORES

Tita la Gallinita

A Little Hen Named Tita

A bilingual story about tamales

COPYRIGHT 2020 BY DAVID FLORES. ALL RIGHTS RESERVED UNDER COPYRIGHT CONVENTIONS. PUBLISHED IN THE UNITED STATES BY BROWNIE BOOKS DBA, DALLAS, TX. PRINTED IN THE UNITED STATES. NO PART OF THIS BOOK MAY BE REPRODUCED OR COPIED IN ANY FORM WITHOUT WRITTEN PERMISSION FROM THE PUBLISHER.

LIBRARY OF CONGRESS CATALOGING IN PUBLICATION DATA:
FLORES, DAVID. TITA LA GALLINITA.
SUMMARY: BASED ON THE FOLKTALE THE LITTLE RED HEN, TITA LA GALLINITA FINDS GRAINS OF CORN. SHE HAS A PLAN FOR THEM, BUT NONE OF HER FRIENDS WANT TO HELP HER. WHAT WILL HER FRIENDS MISS OUT ON?
ISBN: 9780578833422
AGES 4-10

bb

BROWNIE BOOKS
WWW.BROWNIEBOOKS.COM

Dedicado a todas las
tías que son como
una segunda madre.
Te amamos Tia Tita.

Dedicated to all the
aunts that are like a
second mother. We
love you Tia Tita.

Había una vez una Gallinita que se llamaba Tita que vivía en una granja. En la granja también vivía un gato, un perro, y un cerdo. El gato se la pasaba lamiendo su pelaje. El perro se la pasaba mordiendo su hueso. El cerdo se la pasaba disfrutando su lodo fresco. Tita la Gallinita siempre se mantenía ocupada. Le encantaba mantener las cosas en orden.

Once upon a time, there was a little Gallinita named Tita that lived on a farm. On the farm also lived a cat, a dog, and a pig. The cat would spend his day licking his fur. The dog would spend his day biting his bone. The pig would spend his day enjoying his fresh mud. Tita the Gallinita always kept busy. She loved to keep things tidy.

Tita la Gallinita lavaba la ropa. Ella sacaba la basura. Ella cocinaba y lavaba los platos después de cada tiempo de comida. Ella hasta arreglaba las goteras cuando se dañaba el techo. Ella hacía de todo para mantener las cosas en orden.

Tita the Gallinita would wash clothes. She would take the trash out. She would cook and wash dishes after each meal. She would even fix the leaks when the roof was damaged. She did everything to keep things tidy.

Un día en una mañana de primavera, Tita la Gallinita encontró unos granos de maíz en su camino a casa. Mientras los recogía se le ocurrió una idea. Rápidamente corrió a compartir su idea con sus amigos y les preguntó, “¿Quién me querrá ayudar a sembrar este maíz?”

One spring morning, Tita the Gallinita found a few grains of corn on her way home. While she picked them up, an idea occurred to her. She quickly ran to share her idea with her friends and asked, "Who would like to help me plant these grains of corn?"

"!Yo no!" Maulló el gato. !Yo no!" Ladro el perro. "!Yo no!" Chillo el cerdo. "Entonces las sembraré yo sola." dijo Tita.

¡Yo no!
Not me!

"Not me!" Meowed the cat. "Not me!" Barked the dog. "Not me!" Oinked the pig. "Then I will plant them myself," said Tita.

Y la Gallinita así lo hizo.

And so did the Gallinita.

Cuando el maíz salió de la tierra y se convirtió en plántula, Tita la Gallinita corrió con alegría a compartir con sus amigos. “¡El maíz está creciendo!” Tita exclamó. “¿Quién me querrá ayudar a cuidar este maíz?” Preguntó la Gallinita.

When the corn sprouted, Tita the Gallinita ran happily to share with her friends. "The corn is growing!" Tita exclaimed. "Who would like to help me take care of these corn plants?" The Gallinita asked.

"!Yo no!" Maulló el gato. !Yo no!" Ladro el perro. "!Yo no!" Chillo el cerdo. "Entonces las cuidaré yo sola." dijo Tita. Y la Gallnita así los hizo.

¡Yo no!
Not me!

"Not me!" Meowed the cat. "Not me!" Barked the dog. "Not me!" Oinked the pig. "Then I will care for them myself," said Tita. And so did the Gallinita.

Durante varios meses Tita regó el maíz; la Gallinita las protegió. La Gallinita arrancó maleza alrededor de las plantas. Y el maíz crecía y crecía.

For several months, Tita watered the plants; She cared for them. The Gallinita plucked weeds around the plants. And the corn grew and grew.

El tiempo había llegado para cosechar el maíz. “¿Quién me querrá ayudar a recoger estas mazorcas de maíz?” Preguntó la Gallinita.

The time had come to harvest the corn. “Who would like to help me pick these ears of corn?” The Gallinita asked.

"!Yo no!" Maulló el gato. !Yo no!" Ladro el perro. "!Yo no!" Chillo el cerdo. "Entonces las recogeré yo sola." dijo Tita. Y la Gallnita así los hizo.

¡Yo no!
Not me!

"Not me!" Meowed the cat. "Not me!" Barked the dog. "Not me!" Oinked the pig. "Then I will pick them myself," said Tita. And so did the Gallinita.

La Gallinita recogió todas las mazorcas de maíz. "¿Quién me querrá ayudar a desgranar las mazorcas?" Preguntó Tita.

The Gallinita had collected all the ears of corn. "Who would like to help me to remove the kernels? Tita asked.

"!Yo no!" Maulló el gato. !Yo no!" Ladro el perro. "!Yo no!" Chillo el cerdo. "Entonces las desgranaré yo sola." dijo Tita. Y la Gallnita así los hizo.

"Not me!" Meowed the cat. "Not me!" Barked the dog. "Not me!" Oinked the pig. "Then I will remove the kernels myself," said Tita. And so did the Gallinita.

Cuando el maíz estaba desgranado
la Gallinita preguntó, “¿Quién me querrá
ayudar a llevar el maíz al molino para hacer la
masa?” “¡Yo no!” Maulló el gato. “¡Yo no!” Ladro el perro.
“¡Yo no!” Chillo el cerdo.

When the kernels were removed the Gallinita asked, “who would like to help me take the corn to the mill to make the dough? “Not me!” Meowed the cat. “Not me!” Barked the dog. “Not me!” Oinked the pig.

"Entonces las llevaré yo sola." dijo Tita. Y la Gallinita así lo hizo.

"Then I'll take them myself," said Tita. And so did the Gallinita.

En el molino, el molinero puso la masa en un contenedor para que la Gallinita lo llevara a casa. Y sin ayuda, Tita así lo hizo.

In the mill, the miller put the dough in a container for the Gallinita to take home. And without help, Tita did so.

Al llegar a la granja, la Gallinita preguntó, "¿Quién me querrá ayudar a juntar los ingredientes?" "¡Yo no!" Maulló el gato. "¡Yo no!" Ladro el perro. "¡Yo no!" Chillo el cerdo.

When she returned to the farm, the Gallinita asked, "who would like to help me gather the ingredients?" "Not me!" Meowed the cat. "Not me!" Barked the dog. "Not me!" Oinked the pig.

"Entonces los juntare yo sola." dijo Tita.
Y la Gallinita así lo hizo.

"Then I will gather them myself," said Tita.
And so did the Gallinita.

Ya en la cocina, la Gallinita mezcló la masa con sal y mantequilla. Tita puso una cucharada de masa en la hoja de maíz y al final puso los tamales a hervir.

Now in the kitchen, the Gallinita mixed the dough with salt and butter. Tita put a spoonful of dough on the corn husk and finally, put the tamales to boil.

No tardó mucho para que el olor llegara a cada rincón de la granja. Entonces el gato dejó de lamer su pelaje. El perro dejó de morder su hueso. El cerdo dejó su lodo fresco.

It didn't take long for the smell to reach every corner of the farm. Then the cat stopped licking his fur. The dog stopped biting his bone. The pig left his fresh mud.

"¿Quién me querrá ayudar a comer estos tamales?" Preguntó la Gallinita mientras sacaba la olla del fuego. "¡Yo!" Maulló el gato. "¡Yo!" Ladro el perro. "¡Yo!" Chillo el cerdo.

"Who will want to help me eat these tamales?" The Gallinita asked as she pulled the pot from the fire. "Me!" Meowed the cat. "Me!" Barked the dog. "Me!" Oinked the pig.

"No, no, no." dijo Tita la Gallinita. "Ustedes decidieron no ayudarme a sembrar el maíz. Cuando crecieron las plantas no me ayudaron a cuidarlas. Cuando llegó el tiempo de la cosecha nadie me quiso ayudar a recogerla. Y cuando necesitaba desgranarlo, nadie me ayudó. Ustedes decidieron no ayudarme a llevarlo al molino o siquiera a juntar los ingredientes. Todo lo hice yo sola. Así que yo sola me comeré todos los tamales."

"No, no, no," said Tita the Gallinita. You decided not to help me plant the corn. When they were growing, you didn't help me take care of them. When harvest time came, you did not want to help me pick them. And when I needed to remove the kernels, nobody helped me. You decided not to help me take it to the mill or even help me gather the ingredients. I did everything myself. So I will eat all the tamales myself."

Y Tita la Gallinita así lo hizo.

And so did Tita the Gallinita.

FIND MORE BOOKS BY DAVID FLORES AT WWW.BROWNIEBOOKS.COM

BROWNIE BOOKS

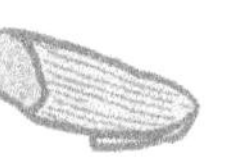

CPSIA information can be obtained
at www.ICGtesting.com
Printed in the USA
LVHW072331241021
701407LV00002B/32